가야를 세우다

김수로

원작 일연 글 구들 그림 최재정 감수 박대재

먼 옛날, 한반도 남쪽에 아직 임금도 없고 나라의 체계도 갖추지 못한

아홉 마을이 서로 의지하며 살고 있었어요.

각 마을에는 그 마을을 대표하는 촌장*이 있었지요.

아홉 마을의 촌장들은 구지봉에 모여 마을에서 일어난 문제들을 함께 해결했답니다.

구지봉은 생김새가 마치 거북의 머리를 닮았다 하여

'구지봉'이라는 이름으로 불렸어요.

여느 때처럼 아홉 촌장이 회의를 하기 위해 구지봉에 모였어요.

그런데 촌장들은 하나같이 어두운 얼굴을 하고 있었지요.

"북쪽에 고구려라는 나라가 섰는데, 임금을 중심으로 백성들이 똘똘 뭉쳐

나라의 힘이 나날이 강해지고 있다 하오."

"백제에 대한 소문은 들으셨소?

거기도 임금이 있어서 백성들을 한데 모아 나라를 발전시켜 가고 있대요."

"그런데 우리만 아직 임금이 없어 힘이 약하니

고구려나 백제가 쳐들어오기라도 하면 끝장이오."

촌장들은 땅이 꺼지게 한숨을 쉬었어요.

*촌장 : 마을 일을 두루 맡아 보던 마을의 어른

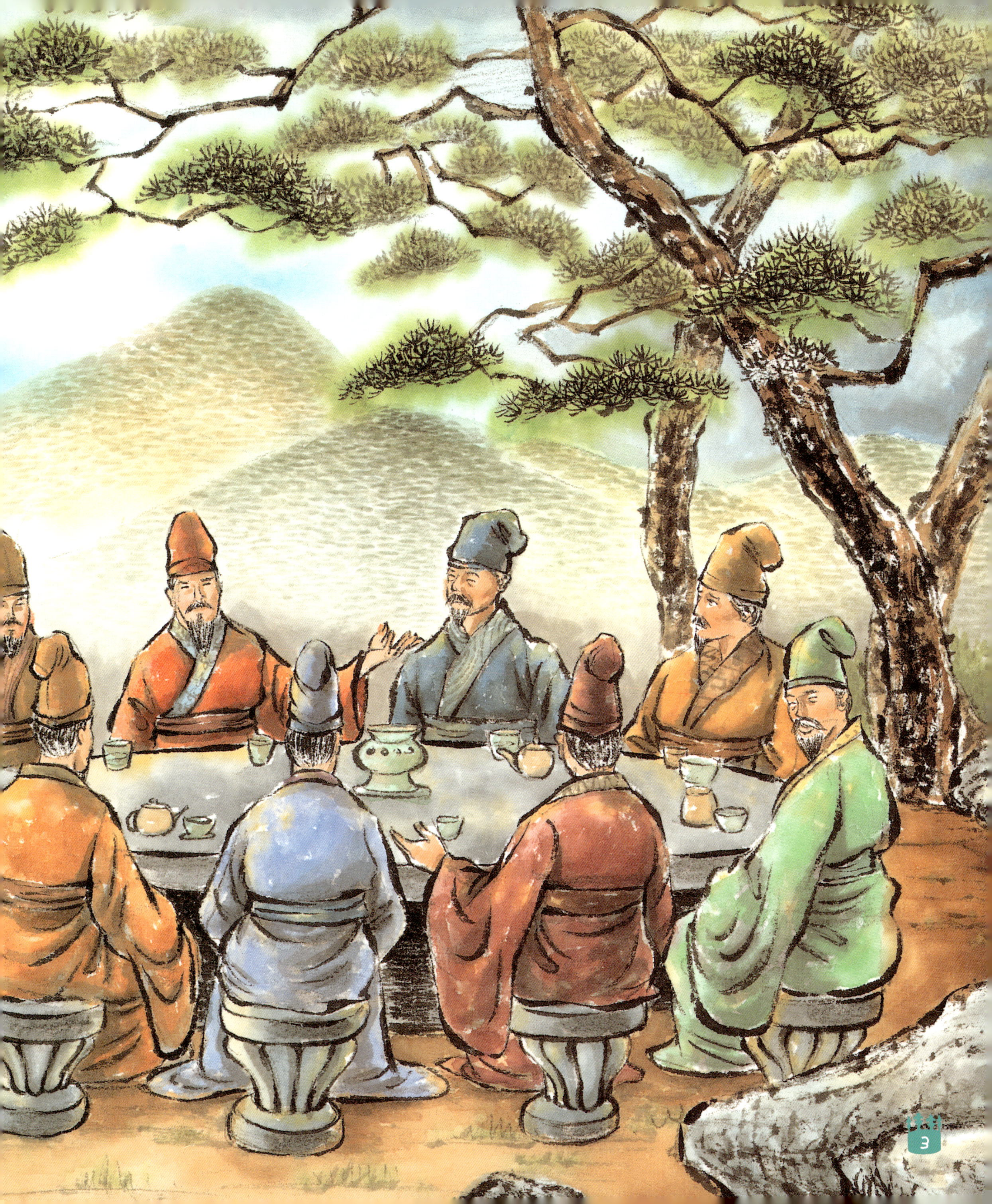

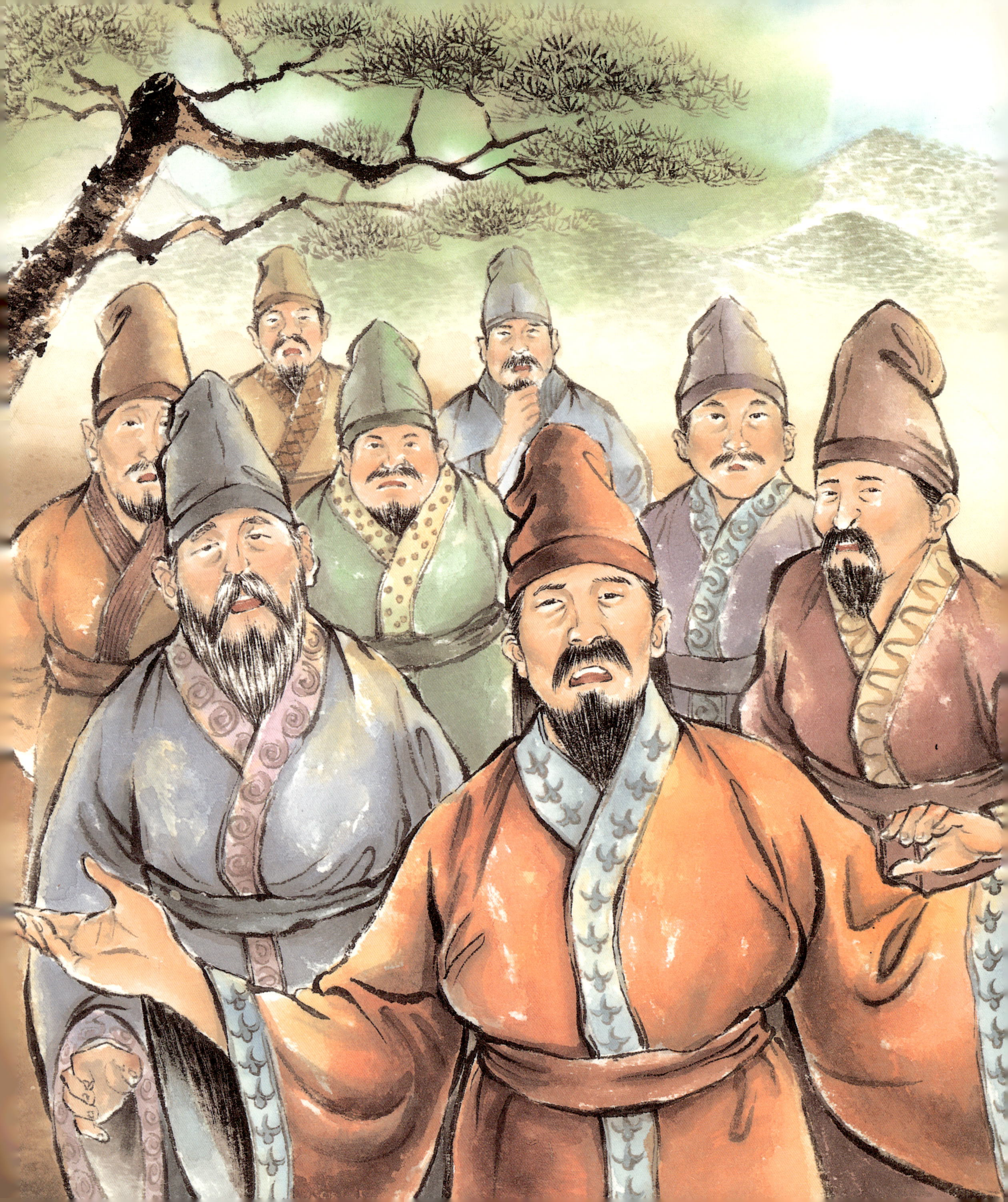

이때 어디선가 목소리가 들려왔어요.

"여기 누가 와 있느냐?"

촌장들이 주변을 둘러보았지만 아무도 보이지 않았어요.

"이상하군. 어디서 들리는 소리일까?"

모두 어리둥절해 하고 있는데 이번에는 머리 위에서 누군가 호통쳤어요.

"내 말이 들리지 않느냐? 여기 누가 와 있느냐고 물었다."

그 말에 가장 나이 많은 아도간 촌장이 대답했지요.

"저희는 아홉 마을 촌장들인데 회의를 하려고 여기 모였습니다. 그런데 지금 저희에게 말씀하시는 분은 누구신지요?"

"나는 하늘을 다스리는 옥황상제의 명을 받고 내려왔다. 옥황상제께서 아홉 사람이 모여 있는 곳에 가서 도움을 주라고 하셔서 아홉 사람이 모인 곳을 찾아다니던 중이니라."

"저희가 모두 아홉입니다."

"그래? 그럼 내가 제대로 찾아온 게로구나. 내가 너희를 어떻게 도와주면 되겠느냐?"

"저희에게 임금님을 내려 주십시오."

촌장들은 입을 모아 대답했지요.

"그래? 그럼 너희의 소원을 들어주마. 각자 흙을 한 줌씩 쥐고
봉우리를 돌면서 내가 가르쳐 주는 노래를 부르도록 하여라."

곧이어 노랫소리가 온 산에 울려 퍼졌어요.

*"거북아, 거북아. 머리를 내어라. 내놓지 않으면 구워 먹겠다."

촌장들은 시키는 대로 흙을 한 줌씩 쥐고 구지봉을 돌면서
노래를 부르기 시작했어요.

"거북아, 거북아. 머리를 내어라. 내놓지 않으면 구워 먹겠다."

촌장들은 손에 흙을 쥐고 몇 번이고 구지봉을 돌며 노래를 불렀어요.
촌장들이 조금씩 지쳐갈 무렵,
하늘을 뒤덮고 있던 구름이 갈라지더니 하늘에서 기다란 자줏빛 줄이 내려왔어요.
줄에는 번쩍이는 금궤가 매달려 있었지요.

"아니, 저게 뭐지?"

"어서 가서 봅시다!"

촌장들은 금궤가 떨어진 곳으로
허겁지겁 달려갔어요.

*〈구지가〉로 작가가 전해지지 않는 고대 가요

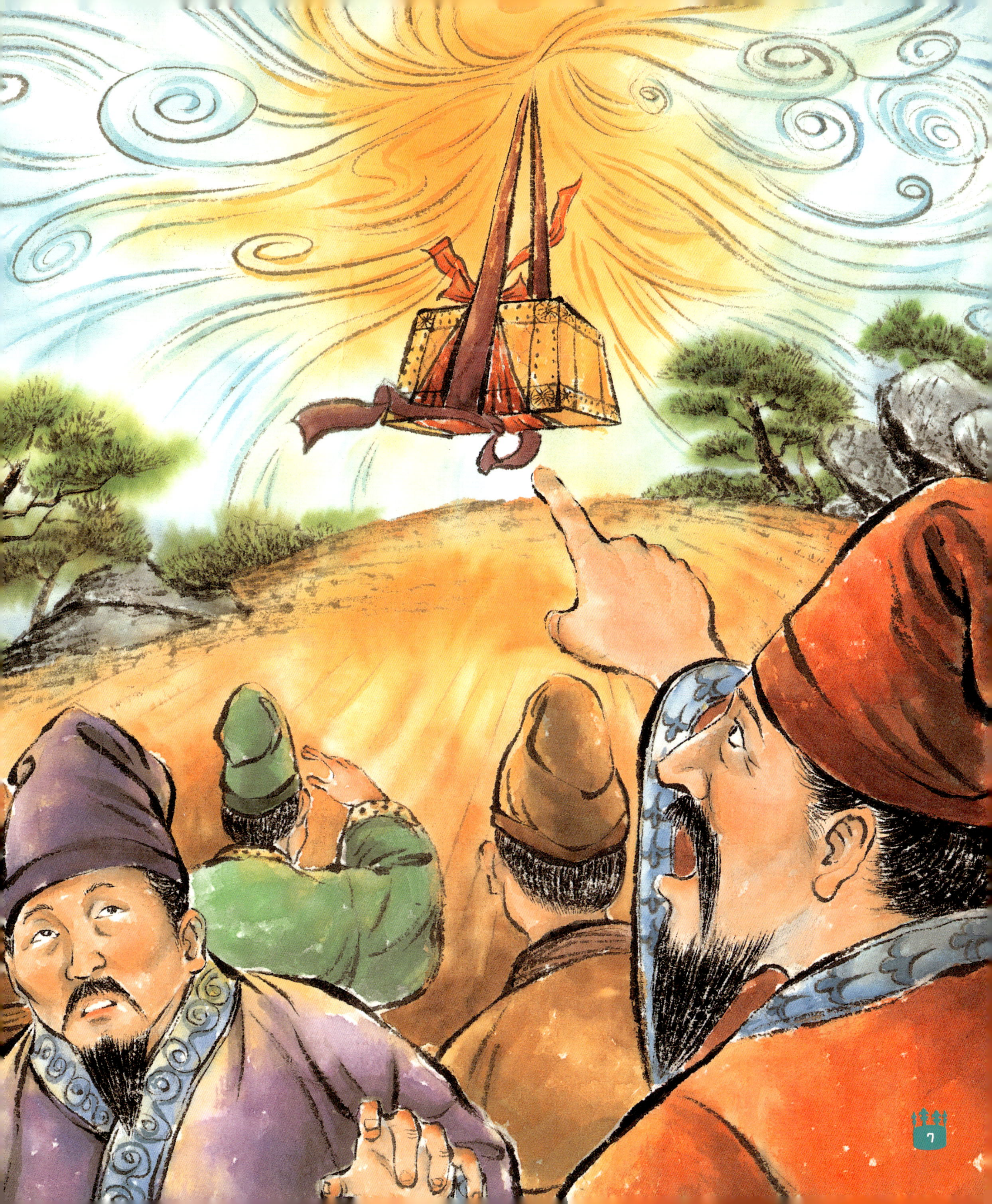

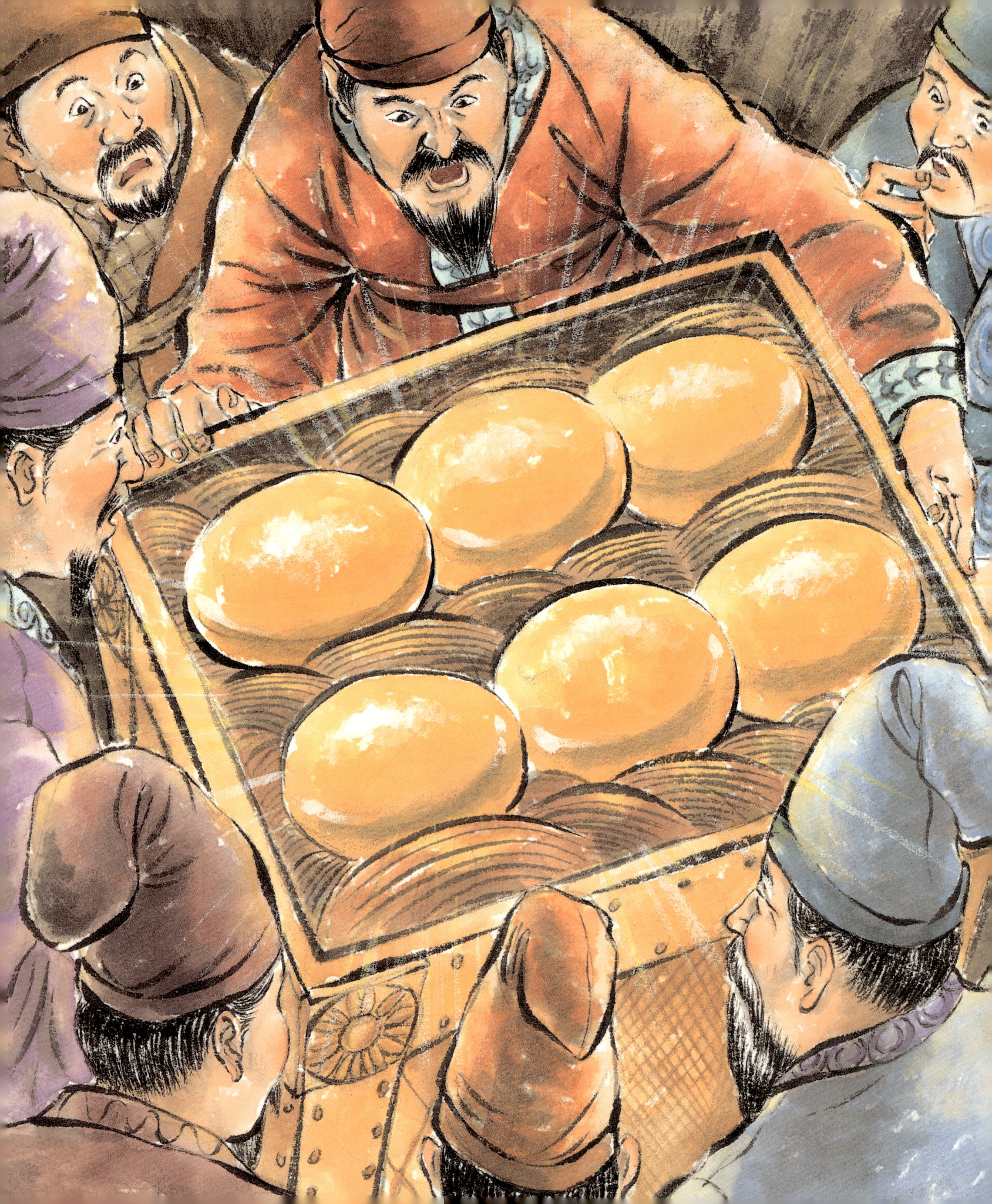

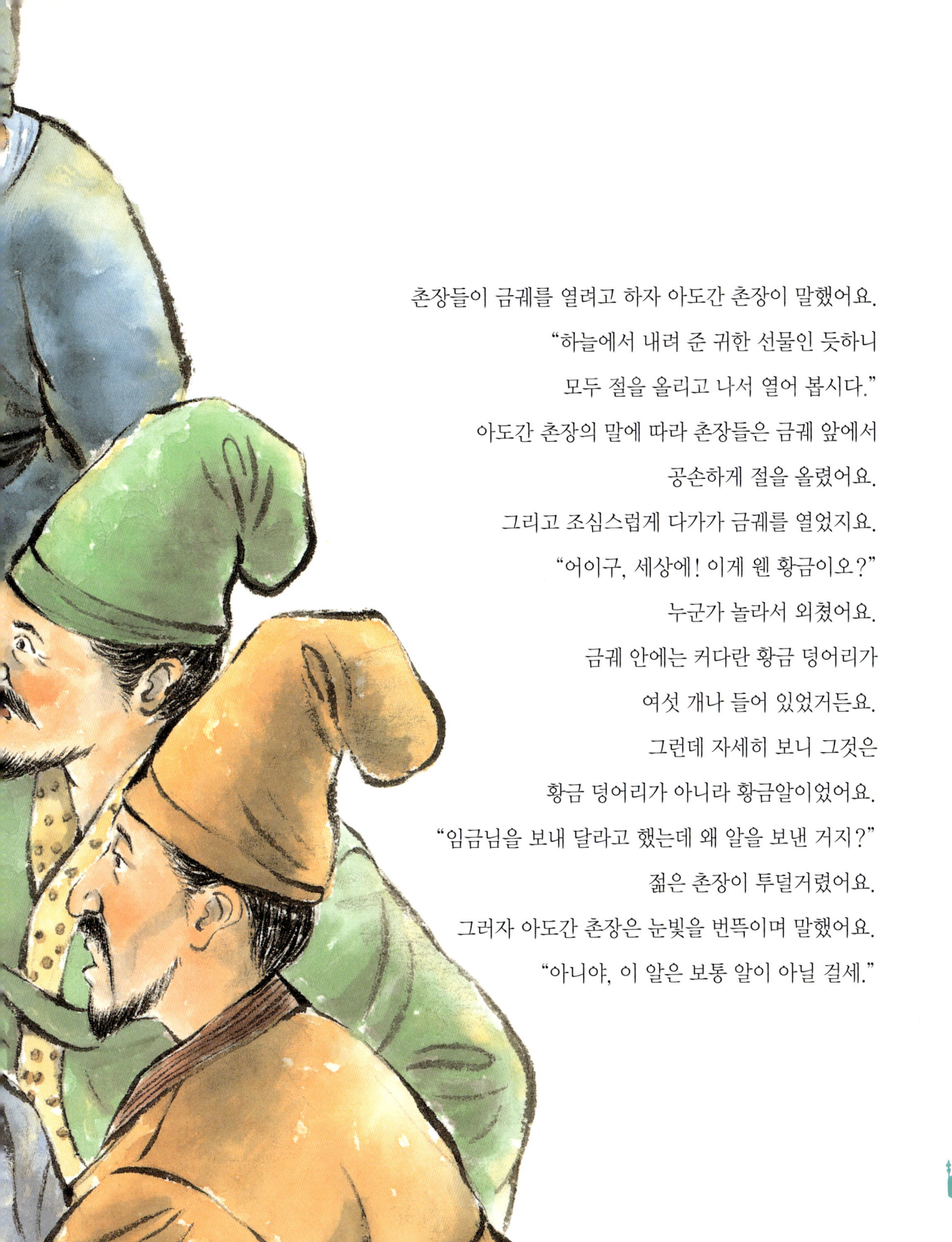

촌장들이 금궤를 열려고 하자 아도간 촌장이 말했어요.
"하늘에서 내려 준 귀한 선물인 듯하니
모두 절을 올리고 나서 열어 봅시다."
아도간 촌장의 말에 따라 촌장들은 금궤 앞에서
공손하게 절을 올렸어요.
그리고 조심스럽게 다가가 금궤를 열었지요.
"어이구, 세상에! 이게 웬 황금이오?"
누군가 놀라서 외쳤어요.
금궤 안에는 커다란 황금 덩어리가
여섯 개나 들어 있었거든요.
그런데 자세히 보니 그것은
황금 덩어리가 아니라 황금알이었어요.
"임금님을 보내 달라고 했는데 왜 알을 보낸 거지?"
젊은 촌장이 투덜거렸어요.
그러자 아도간 촌장은 눈빛을 번뜩이며 말했어요.
"아니야, 이 알은 보통 알이 아닐 걸세."

촌장들은 이 여섯 개의 알을 어떻게 할지 고민에 빠졌어요.

"제 생각에는 아도간 촌장께서 이 알들을 잘 보살펴 주셔야 할 것 같습니다."

한 촌장이 말하자, 다른 촌장들도 고개를 끄덕였어요.

"다들 그렇게 생각한다면 이 알들은 내가 소중하게 모시겠소."

아도간 촌장은 알이 든 금궤를 조심스럽게 들고 집으로 돌아왔어요.

다음 날 아침, 금궤를 열어 본 아도간 촌장은 깜짝 놀랐어요.

그 안에는 알 대신 껍데기들만 수북하게 들어 있었거든요.

'이런 낭패가 있나!
금궤를 옮기면서 알을 다 깨뜨린 모양이구나.'
그때 어디선가 아이들의 웃음소리가 들렸어요.
소리 나는 곳으로 고개를 돌려 보니 귀엽게 생긴 아이들이
엉금엉금 기어다니며 웃고 있었어요.
아이들 가운데 몸집이 크고 영리해 보이는 아이가 아도간 촌장을 보며 방긋 웃었지요.
아이 머리에는 황금빛 알껍데기가 묻어 있었어요.

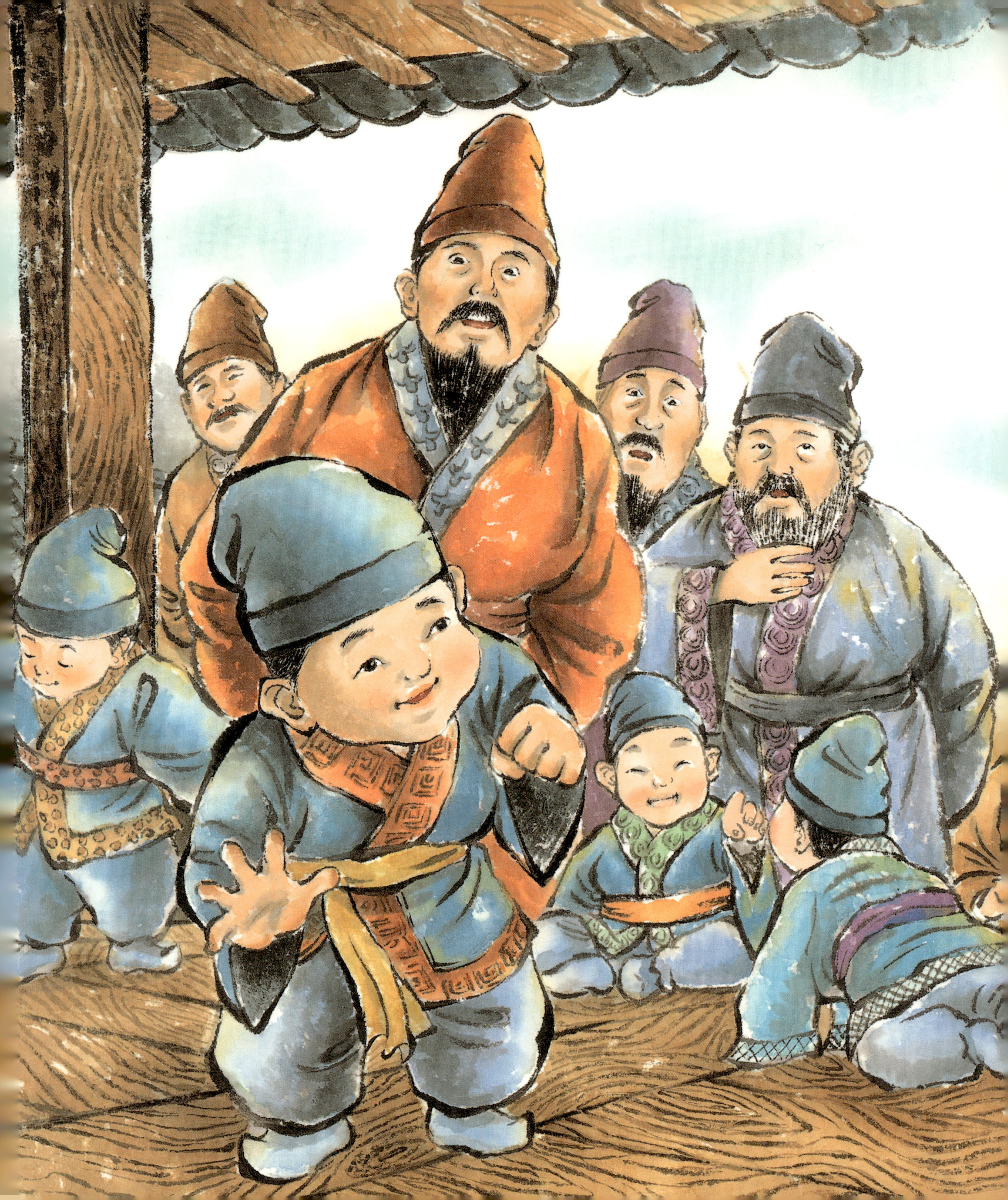

알에서 아이들이 나왔다는 소문을 들은 촌장들은
헐레벌떡 아도간 촌장의 집으로 달려왔어요.
그런데 촌장들이 도착할 때쯤 아이들은 벌써 걸음마를 하고 있었지요.
"놀랍지 않습니까? 다른 아이들보다 훨씬 빠르게 자라고 있어요.
아이들이 모두 기품이 있어 보이니 임금님을 내려 보내 주신 것이 틀림없습니다."
아도간 촌장의 말에 다른 촌장들은 감탄하며 고개를 끄덕였지요.
아도간 촌장이 말했어요.
"여섯 알 가운데 유난히 큰 알 하나가 있었소.
내 생각에는 바로 그 알에서 이 아이가 나온 것 같소.
여섯 아이 중 이 아이가 제일 크니 으뜸이라는 뜻의 '수로'라고 부릅시다."
촌장들은 아도간 촌장의 말에 찬성했어요.

그달 보름날, 수로가 왕위에 올랐어요.
바로 가야의 시조 김수로왕이에요.
수로왕은 하루가 다르게 빨리 성장해
얼마 지나지 않아 정식으로 나라를 다스리게 되었어요.
수로왕은 우선 아홉 마을을 모두 합친 다음,
다시 여섯 지역으로 나누고 나라 이름을 '가야국'이라고 지었어요.
수로왕이 금관가야를 다스리기로 하고
알에서 깬 나머지 다섯 형제들에게
다섯 가야를 맡겼지요.

그리하여 고령의 대가야, 김해의 금관가야, 고성의 소가야, 진주의 고령가야,

성주의 성산가야, 함안의 아라가야는 밀접한 관계를 맺고

서로 도와주며 발전하게 되었답니다.

왕위에 오른 지 2년이 되자, 수로왕은 '신답평'이라는 곳을 도읍으로 삼았어요.

그리고 이곳에 대궐과 관청을 짓고 나랏일에 힘을 기울였지요.

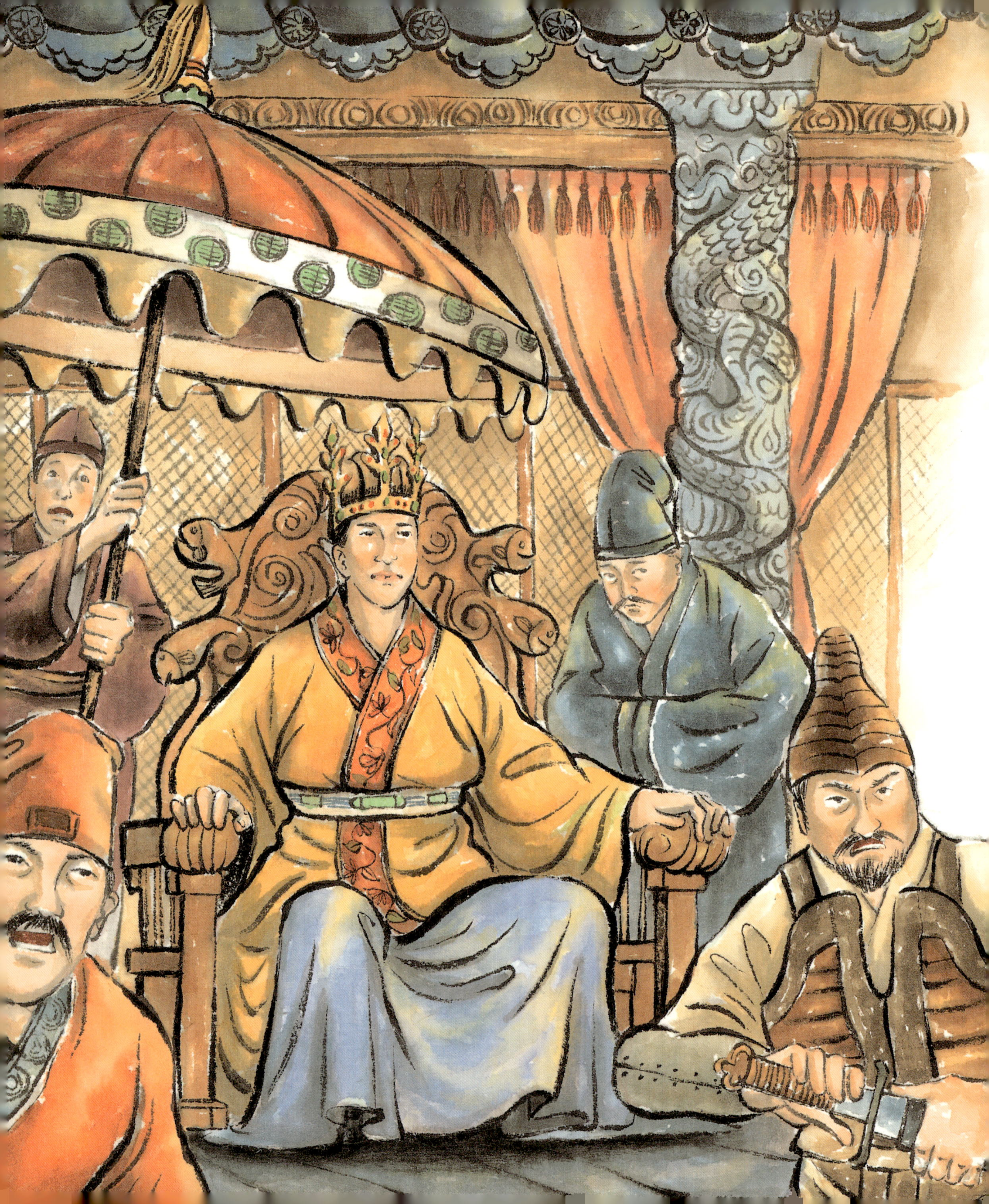

그런데 이 무렵, 탈해라는 사람이 가야국으로 찾아왔어요.

탈해는 수로왕을 찾아 궁궐로 들어와 큰 소리로 외쳤어요.

"나는 수로왕의 자리를 빼앗으려고 왔소. 나와 한번 재주를 겨루어 봅시다.

만약 나에게 지면, 왕위를 내놓으시오!"

"나는 하늘이 내려 준 임금이다. 왕위를 내놓으라니, 무례하구나!"

결국 수로왕과 탈해 사이에 싸움이 벌어졌어요.

"이야아압!"

탈해가 휘익 공중에서 한 바퀴를 돌았어요.

그러자 연기가 피어오르면서 탈해는 사라지고 대신

무서운 매 한 마리가 나타나 수로왕에게 달려들었어요.

수로왕 역시 변신술을 써서 커다란 독수리로 변했지요.

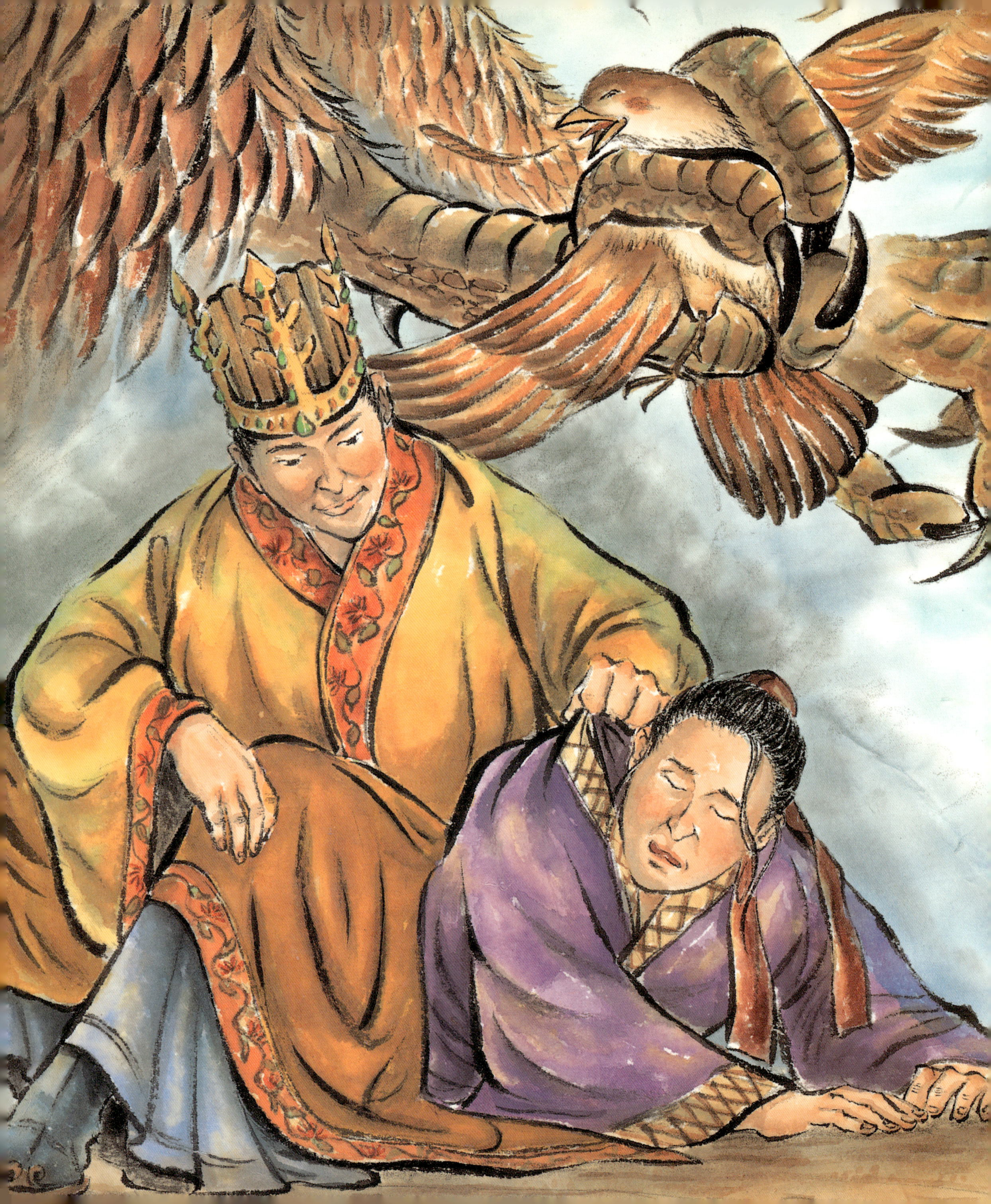

푸드득 꺅꺅꺅!

독수리는 커다란 날개를 퍼덕이며

날카로운 부리를 이용해 매를 공격했어요.

다급해진 탈해는 독수리보다 큰 짐승으로 모습을 바꾸기 위해

다시 한 번 공중제비를 돌았어요.

그런데 탈해는 참새로 변하고 말았지요.

그러자 수로왕이 재빨리 새매가 되어

참새에게로 날아가 억센 발톱으로 단숨에 몸통을 움켜쥐었어요.

짹짹짹!

참새 울음소리와 함께 '펑' 하고 연기가 피어올랐어요.

그러자 탈해와 수로왕이 사람의 모습으로 돌아왔어요.

수로왕은 탈해를 떡하니 깔고 앉아 목덜미를 꽉 움켜쥐고 있었지요.

"제가 임금님을 몰라보고 큰 실수를 저질렀습니다. 용서해 주십시오."

탈해는 용서를 빌었어요.

자신의 능력으로는 도저히 수로왕을 당해 내지 못한다는 것을 알았던 것이지요.

"다시는 임금의 자리를 넘보지 않겠다고 맹세하겠느냐?"

"예, 하늘에 두고 맹세하겠습니다."

"그대를 죽일 수도 있지만 살려 주겠다."

탈해는 수로왕에게 절하고 궁궐을 떠났어요.

이 광경을 지켜보던 신하들은 환호성을 지르면서 기뻐했지요.

"임금님 만세! 만세! 만세!"

21

어느 날 아홉 마을 촌장들이 수로왕을 찾아와 말했어요.
"임금님, 하늘에는 해와 달이 있는 것이 세상의 이치이옵니다.
임금님께서도 이제 배필을 맞으셔야 마땅하옵니다.
현명하고 아름다운 처녀들을 뽑겠으니
그 중에서 왕비를 선택하심이 어떠하실지요?"
촌장들의 말에 수로왕은 고개를 저었어요.

"어제 내가 꿈을 꾸었다오. 멀리서 붉은 깃발을 휘날리며 배 한 척이 오고 있었소.

온갖 꽃으로 장식한 배에는 아리따운 공주가 타고 있더이다.

그 공주야말로 하늘이 내게 보내 준 사람이 아닌가 생각하니 그대들은 염려 마시오."

며칠 뒤 수로왕은 다시 꿈을 꾸었다며 유천간이라는 신하를 불렀어요.

"발 빠른 말 한 필을 줄 것이니 그 말을 타고 당장 망산도에 가 보아라."

그리고 신귀간이라는 신하를 불러서는 승점이라는 곳에 가서 기다리고 있으라고 했어요.

유천간이 망산도에 도착했을 때, 바다에 배 한 척이 보였어요.

붉은 깃발을 휘날리는 아름다운 배였지요.

승점에 가 있던 신귀간은 유천간이 올린 횃불을 보고는
즉시 말을 달려 수로왕에게 와서 보고했어요.
"하늘이 내게 배필을 보내 주시는구나!"
수로왕은 기뻐하며 말했어요.
"너희들은 어서 가서 공손히 왕비를 맞이하도록 하라."
수로왕의 명령을 받은 신하들이 망산도에 도착했을 때,
바닷가에는 이미 배가 도착해 있었답니다.
그곳에 있던 유천간이 신하들과 그 배를 찾아갔어요.
배에는 먼 나라에서 온 아름다운 공주와 신하들이 타고 있었지요.
"저희들은 가야국의 수로임금님을 모시는 신하들이옵니다.
공주님을 대궐로 모시라는 임금님의 분부가 있었습니다."
유천간의 말에 공주는 조용히 미소지으며 이렇게 대답했어요.
"어찌 처음 보는 분들을 가벼이 따라나설 수 있겠습니까?"
공주 일행을 데리러 갔던 신하들은 궁궐로 돌아와
수로왕에게 공주의 말을 전했어요.

25

그러자 수로왕은 신하를 거느리고
몸소 공주 일행을 맞으러 나갔지요.
"잘 오셨소. 나는 가야국의 수로왕이라고 하오."
"안녕하신지요? 저는 아유타국의 공주로 성은 허,
이름은 황옥이라고 하며, 나이는 열여섯 살이옵니다."
공주는 얼굴에 웃음을 머금고
수로왕에게 인사했어요.

*아유타국 : 인도에 있던 나라

"저희 부모님 꿈에 옥황상제께서 나타나셔서
저를 바다 건너 가야국의 수로왕에게 보내 왕후로 삼도록 하라고 명하셨다는군요.
그래서 제가 이렇게 임금님께 온 것입니다."
수로왕은 크게 기뻐하며 말했어요.
"참으로 신기한 일이오. 나 역시 그대가
붉은 깃발이 달린 배를 타고 오는 꿈을 꾸었다오.
꿈에서 본 대로 그대는 눈부시게 아름답구려."

며칠 뒤, 수로왕과 아유타국의 공주 허황옥의 혼인식이 있었어요.

사람들이 거리로 구름처럼 몰려나왔어요.

악사들이 앞장서 음악을 연주하는 가운데 왕과 왕비를 태운 수레가 나타났어요.

사람들은 길 양쪽으로 갈라서서 수레를 향해 꽃을 뿌리며 춤추고 노래했지요.

그 후 수로왕은 금관가야뿐 아니라 나머지 다섯 가야에 대해서도

변치 않는 사랑을 갖고 백성들을 잘 보살폈어요.

그리하여 가야 백성들은 평화롭고 행복하게 살았어요.

29

가야를 세운

김수로왕

삼국 시대에 대해서 이야기할 때 우리는 흔히 고구려, 백제, 신라를 생각합니다. 그런데 이 세 나라 말고도 가야라는 나라가 있었습니다. 가야는 다른 나라에 비해 역사 속에서 빨리 사라졌기 때문에 우리의 관심을 크게 받지 못하고 있는 나라입니다. 하지만 이보다 더 중요한 이유는 고구려, 백제, 신라가 각각 왕을 중심으로 완전한 국가를 이룬 데 비해 가야는 여섯 개의 크고 작은 나라로 나누어져 있어서 강한 세력으로 뭉치지 못했기 때문이지요.

기록을 보면 김수로왕은 42년에 태어나 199년까지 가야를 다스렸다고 해요. 김수로왕의 '수로'라는 이름은 '으뜸'이라는 뜻으로, 그만큼 모든 면에서 다른 사람들과 비교할 수 없는 뛰어난 능력을 지녔다는 것을 알려 줍니다. 이렇게 뛰어난 능력을 가졌지만 김수로왕은 함부로 다른 나라를 누르거나 지배하지 않았습니다. 그래서 다섯 가야의 왕들은 김수로왕을 '으뜸 왕'으로 모시며 따랐던 것이지요. 여섯 개로 나뉜 나라를 다스린다는 것은 쉬운 일이 아니었지만 김수로왕은 여섯 개의 가야를 화합시키며 평화롭게 다스린 너그러움과 능력을 모두 갖춘 훌륭한 왕이었답니다.

김수로왕은 여섯 가야를 서로 화합시키며 잘 다스려 나갔어요

42년
김수로왕
가야 제1대 왕 즉위

48년
김수로왕 허황옥과 혼인

77년
가야, 신라 공격에 패함

96년
가야, 신라의 남쪽 습격

김수로왕과 관련 있는 인물들

허황옥 : 김수로왕의 왕비

허황옥은 본래 인도 아유타국의 공주였습니다. 48년에 배를 타고 가야로 온 허황옥은 김수로왕의 왕비가 되어 이듬해 태자 거등공을 낳았습니다.

석탈해 : 신라 제4대 왕

용성국 왕과 적녀국 공주 사이에 알로 태어난 석탈해는 궤짝에 담겨 바다를 표류하다가 아진포에 사는 한 할머니가 발견하여 데려다 길렀습니다. 신라 제3대 유리왕이 죽자 남해왕의 유언에 따라 왕위에 올랐습니다. 왕위에 있었던 기간은 57~80년입니다.

알고 싶은 요모조모

김씨와 허씨는 결혼하지 않는다?

김수로왕과 허왕후 사이에는 열 명의 아들이 있었습니다. 아내를 사랑하고 존중했던 김수로왕은 두 아들에게는 어머니 허왕후의 성인 '김해허씨'를 따르게 했어요. 그래서 '김해김씨'와 '김해허씨'는 같은 집안이라고 해서 결혼하지 않는답니다.

212년
가야, 신라에 왕자 보내 볼모로 삼게 함

522년
대가야 신라와 혼인동맹

532년
금관가야 신라에 병합

562년
대가야 신라에 병합

궁금증을 풀어 주는 미로여행

Q1 김수로왕은 정말 알에서 태어났을까요?

Q2 김수로왕의 왕위를 빼앗으려고 한 탈해는 누구인가요?

Q3 옥황상제는 왜 아홉 사람이 모인 곳에 도움을 주라고 했을까요?

Q4 허왕후의 고향인 아유타국은 실제로 있었던 나라일까요?

Q5 김수로왕과 허왕후의 자식들은 어떻게 되었나요?

아홉 명의 촌장, 아홉 개의 봉우리 등 김수로왕 설화에는 9라는 숫자가 자주 등장해요. 이것은 3이라는 숫자와 연관이 있어요. 옛날 사람들은 3이라는 숫자를 좋아했는데 3에 3을 곱한 9는 완전한 숫자로 여겼지요. 여기 나오는 아홉도 완전한 존재를 상징하는 것으로 볼 수 있어요.

신라의 석탈해예요. 석탈해는 가야의 왕이 되려고 대결을 했지만 김수로왕에게 지고 신라로 갔어요. 그리고 신라 남해왕의 뒤를 이어 신라 제4대 왕이 되었지요.

가야를 상징하는 것으로 물고기 두 마리가 마주 보고 있는 모습이 있는데 이것은 인도 '아요디야' 지방의 상징이기도 해요. 그래서 역사가들은 아요디야가 아유타국이 아닐까 생각하고 있어요.

사람은 알에서 태어나지 않지요. 옛날 사람들은 하늘을 숭배했고 하늘을 나는 새를 신비롭게 생각했기 때문에 알에서 태어났다는 말이 생겼을 거예요. 사람들은 왕을 보통 사람과는 다른 신성한 존재라고 믿었거든요.

첫째 아들인 거등 태자는 아버지 김수로왕의 뒤를 이어 가야의 왕이 되었어요. 둘째 왕자와 셋째 왕자는 각기 김해허씨와 인천 이씨의 시조가 되었고, 다른 일곱 왕자는 산속에 들어가 불교를 공부해 스님이 되었다고 해요.